D1088738

Marie

Les dangers de la maison

Texte de Gianni Padoan   Illustrations de Emanuela Collini

Imprimé en Italie par SAGDOS, Brugherio, Milan

– Mais qu'est-ce qu'elle fait ? Qu'est-ce
qu'elle fait ?
Depuis plus d'une heure, Mathieu n'arrête
pas de poser la même question ! Et on reste
là, à regarder le bassin du jardin public,
sans rien faire... Pourtant, chaque
mercredi, on se retrouve, Mathieu, Marie
et moi, pour jouer ensemble. Mais voilà,
aujourd'hui on est mercredi et Marie n'est
pas là ! Et elle habite juste à côté, comme
nous. Pour ça, c'est bien, le jardin public...

Marie n'arrive toujours pas... Alors
Mathieu me demande :
– Bon, Julien, qu'est-ce qu'on fait ?
– J'en sais rien...
– On joue à quelque chose ?
– Oh, sans Marie, tu sais...
– Alors, dit Mathieu en prenant son vélo, il
n'y a qu'une chose à faire : aller chez elle !

Quand Marie nous ouvre, on fait une drôle
de tête ! Quelle allure elle a : ébouriffée,
mal habillée et les joues rouges, on dirait
qu'elle vient de faire une partie de judo !
Mathieu est plus calme :
– Euh... Bonjour Marie ! Tu sais, il y a un
moment qu'on t'attend ! Tu ne veux plus
jouer avec nous ?

Marie souffle une mèche sur son nez :
– Ne m'en parlez pas ! Impossible !
Maman est sortie et je dois garder Nicolas,
mon petit frère... Entrez, vous allez voir...

Quel désordre, dans le salon ! Il y a des
jouets dans tous les coins, une couverture
sur le canapé, un coussin par terre et, au
beau milieu, Nicolas, à plat ventre, qui joue
avec ses petites voitures...
– Il a l'air mignon, dit Mathieu.
– Tu crois, toi, dit Marie en se laissant
tomber dans un fauteuil comme si elle était
épuisée. Mais tous les jouets qu'il a amenés
ici, qui va les ranger ? Si c'est ça, garder
son petit frère...
– Allons, répond Mathieu, il a à peine 2
ans...
Marie trouve que ce n'est pas une excuse :
– Oui, 2 ans, mais, pour le garder, il
faudrait être dompteur !

Marie n'a pas l'air de plaisanter :
– On doit toujours être derrière lui... Hier, il a failli se brûler avec le fer à repasser... Ce matin, maman l'a tout juste empêché d'attraper une casserole d'eau bouillante sur la cuisinière. Et pourtant, elle le surveille, maman...

Mais, tout à coup, Marie s'élance derrière Nicolas !
– Nicolas, donne-moi cette boîte d'allumettes. On t'a déjà dit de ne pas jouer avec... Tu veux mettre le feu à la maison ?
Et Marie lui arrache la boîte d'allumettes des mains.
– Vous voyez, il est vraiment impossible !

Elle exagère, Marie. Il faut lui expliquer, à
Nicolas, c'est tout. Je me penche vers lui...
– Allez, Nicolas, sois sage. On va jouer
ensemble...
Mais Marie n'est pas d'accord :
– Non ! C'est l'heure du goûter. Et vous
allez voir, ce n'est pas facile...

Je propose tout de suite de faire du pain
grillé. Il y a tout pour en faire...
– Si tu veux, dit Marie. Mais fais attention !
Enlève la prise avant de sortir le pain grillé.
Papa dit que ces appareils sont
dangereux...
Bon, si elle le dit... On mangera plutôt des
biscuits...

Mathieu est tout étonné :
– Regardez Nicolas. Quel dégourdi ! Il fait
de l'escalade sur la cuisinière...
Marie l'arrête :
– Nicolas ! Descends de là ! On ne monte
pas sur la porte du four... Tu vas te faire
mal !

– C'est vrai, nous dit-elle, une cuisinière,
c'est dangereux pour lui. Il peut faire
tomber une casserole qui chauffe, ou ouvrir
les boutons. On ne peut jamais le laisser
tout seul...
Et Marie gronde Nicolas :
– Nicolas, ferme ce tiroir. Tu vas te pincer
les doigts...

– Maman le répète souvent, nous explique
Marie, c'est avec les cuisinières que les
enfants se font le plus mal. Ils peuvent se
brûler très gravement...
– Mais, qu'est-ce que c'est que ce bruit
d'eau ? demande Mathieu.
– Où est Nicolas ? crie Marie.
Et on se précipite derrière Marie qui court
vers la salle de bains...

— Descends de là ! crie Marie en empoignant Nicolas par la taille, prêt à basculer dans la baignoire. Vilain !

— Bateau, bateau... chante Nicolas.

— Mais ce n'est pas un bateau, lui répond Marie, c'est un couvercle. Et puis tu ne dois pas jouer avec l'eau ! Tu veux te noyer ? Un tout petit peu d'eau suffit, pour un bébé comme toi...

— Bateau... bateau... répète Nicolas.

Sécher Nicolas qui est tout mouillé, c'est facile, il a l'air de bien aimer ça. Mathieu est allé lui chercher un gilet. Moi, je vais brancher le séchoir pour ses cheveux...
– Attends, Julien, dit Marie. Tu as les mains sèches ? Un séchoir, c'est aussi un appareil très dangereux. Papa ne veut pas que je m'en serve... On peut prendre le courant et, si on est mouillé, on peut se faire très mal...

Alors je laisse Marie essuyer la tête de Nicolas avec une serviette...

Pendant que Marie et moi essuyons le carrelage, Mathieu joue avec Nicolas. Mais Marie a l'œil à tout :
– Mathieu, fais descendre Nicolas de cet escabeau. Regarde, s'il ouvre l'armoire à pharmacie, il peut y prendre des médicaments. Et s'empoisonner avec...
– Mais, répond Mathieu en rouspétant, regarde, il ne peut pas ouvrir l'armoire, même en montant sur l'escabeau : elle est trop haute. C'est fait exprès...

– Bon, dit Marie, c'est sec. Il vaut mieux aller dans ma chambre. Là, il n'y a pas de danger... On va écouter de la musique. Papa m'a offert un nouveau disque...
A peine arrivé dans la chambre de sa sœur, Nicolas s'installe sur le lit et sort les disques d'un sac en plastique.
– Fais attention à mes disques, prévient Marie.

– Musique, musique, chante Nicolas.
Il saute du lit, le sac en plastique sur la tête,
et tend un disque à Marie.
– Si tu veux entendre de la musique, lui dit
Marie, enlève ce sac. Tu peux t'étouffer,
avec !

– Qu'est-ce que tu racontes ? demande
Mathieu.
– Tiens, répond Marie, lis, c'est écrit
dessus : « Ce sac n'est pas un jouet ». Parce
que des enfants se sont étouffés avec des
sacs comme ça... Et hop !
D'un geste rapide, Marie arrache le sac...

Moi, je viens de trouver quelque chose...
– Regardez, des marionnettes ! Si on faisait
un petit théâtre ? Ça plairait à Nicolas...
Je me cache derrière le bureau, j'enfile une
marionnette sur ma main et je dis, en
changeant de voix :
– Bonjour les enfants. Venez voir le joli
théâtre ! Tout le monde est invité. Surtout
les petits garçons en pantalon rouge...
– Ça marche ! dit Marie à Mathieu.

J'agite la marionnette...
– Salut ! Je m'appelle Tant-Pis ! Vous savez pourquoi on m'appelle comme ça ? Parce que je n'écoute jamais ce qu'on me dit ! Et je n'ai peur de rien : ni des allumettes, ni du grille-pain, ni de la cuisinière, ni de l'eau, ni de tout ce qu'il ne faut pas toucher... Qui aime Tant-Pis ? Puis je sors une autre marionnette.

– Bien le bonjour ! Moi, on m'appelle Tant-Mieux. Parce que j'écoute tout ce qu'on me dit. Et je fais très attention : je ne joue pas avec les couteaux, les chiens que je ne connais pas, les médicaments, et je suis très prudent... Qui aime Tant-Mieux ?

– Tant-Pis ! Tant-Mieux ! crie Nicolas.
Mais Marie n'aime pas trop mon théâtre :
– Julien, arrête ! Tu vois, il recommence à
s'énerver...
C'est vrai. Nicolas regarde ailleurs. Alors je
laisse tomber les marionnettes...

– Ça a marché quand même, me dit
doucement Marie. Mais il en faut plus que
ça pour le faire rester tranquille. Allez,
viens, on va jouer sur la terrasse...

A peine dehors, Marie pousse un cri :
– Nicolas, descends de cette barrière ! Tu
sais bien que papa t'interdit de grimper là.
Tu veux tomber et te faire très mal ? On
sera plus tranquilles quand papa aura fini
de poser le filet...

Si on l'écoutait, Marie, on ne pourrait plus
bouger...
– Bon, alors qu'est-ce qu'on fait ? je lui
demande.
– On va jouer dehors.
– Et Nicolas, dit Mathieu.
– Qu'est-ce que tu crois ? On l'emmène,
dit Marie...

Le jardin est tout petit. Mais il y a un coin que Nicolas a l'air d'aimer beaucoup : le garage ! Il m'y emmène aussitôt...
– Ouh ! s'exclame Mathieu, c'est un atelier !

– Oui, répond Marie. Papa travaille souvent ici. Mais il ne veut pas que Nicolas y vienne... Il y a trop d'outils dangereux.
– Bon, dit Mathieu, alors ne restons pas là... On ne sait jamais : si Nicolas mettait en marche la scie électrique...

Les boîtes d'allumettes, le grille-pain, la cuisinière, la baignoire, le séchoir, la pharmacie, le balcon, le garage... Il y a beaucoup de choses qui peuvent faire mal, dans une maison. Surtout dans celle de Marie et de Nicolas. Je comprends un peu Marie : c'était un après-midi épuisant...

Aussi je suis d'accord quand Mathieu nous propose de l'accompagner : il doit faire des courses pour sa maman. Nicolas est ravi :
– Promener, promener, dit-il avec un grand sourire.

Mais Marie hésite. Alors Nicolas lui fait un gros câlin. Et Mathieu et moi on lui dit que ça nous ferait du bien de prendre l'air... Elle dit oui à contrecœur.

Dehors, ce n'est pas toujours facile, avec Nicolas.
– Nicolas, fais attention en traversant !
– Nicolas, attends que le feu soit vert !
– Nicolas, reste sur le trottoir !

Marie a l'air contente, maintenant : Nicolas marche sagement, son ballon sous le bras. Mais voilà qu'il tend la main vers un chien qui arrive en face de nous.
– Toutou ! Toutou !
Et avant que Marie parle, Mathieu dit :
– Nicolas ! On ne touche pas les chiens qu'on ne connaît pas !
– Comment tu le sais ? demande Marie.

C'était le dernier conseil de la journée...